Kat Kaat is weg

Joke de Jonge
met tekeningen van Juliette de Wit

Zwijsen

Kat Kaat is weg

Dit is Mark.
Dit is Kaat.
Kaat is de kat van Mark.
Mark is dol op Kaat.
Kaat is ook dol op Mark.
Kaat en Mark zijn al drie jaar samen.
Kaat kwam bij Mark toen Mark drie jaar was.
En nu is Mark al zes jaar.

Mark zorgt altijd goed voor Kaat.
Hij geeft haar water en brokjes.
Mark speelt vaak met Kaat.
Kaat vindt spelen met een bol wol erg leuk.
Mark gooit de bol en Kaat gaat er dan achter aan.
In de nacht slaapt Kaat op het bed van Mark.
Dat vinden Kaat en Mark fijn.
Kaat en Mark zijn zo nooit alleen.

Roos

niezen

blazen

spelen

eten

Spelen met Roos

Roos en Mark komen samen uit school.
Roos is de vriendin van Mark.
Roos zit bij Mark in de klas.
Op school spelen ze graag met elkaar.
Vandaag wil Roos bij Mark komen spelen.
Maar Roos moet niezen van Kaat.
Kaat moet weg als Roos komt.
Kaat wil niet weg.
Zij wil ook spelen met Mark en Roos.

Mark neemt Kaat mee naar de keuken.
'Wil je soms wat eten, Kaat?'
De buik van Kaat is al dik.
Heel dik!
Ze heeft net een bak brokjes op.
Kaat wil nu niet eten.
Ze maakt haar rug hoog en blaast.
Ze is boos omdat ze weg moet.
Ze geeft Mark een haal en springt weg.

Mark en Roos spelen de hele middag samen.
Ze spelen met de knikkers en ze bouwen een hut.
Voor ze het weten, is het al vijf uur.
Roos moet naar huis.

Als Roos weg is, zoekt Mark Kaat.
Hij kijkt in de keuken en zoekt onder zijn bed.
Hij ziet Kaat nergens.
Waar is Kaat?
'Heb je Kaat gezien?'

nacht

huis

slapen

kast

10

Waar is Kaat?

Mark zoekt in het hele huis.
Op zolder, in de gang, onder de trap, naast de kast.
Hij kijkt onder de was, achter het kussen en in zijn bed.
Mark zoekt en zoekt.
Mark roept Kaat:
'Kaat, Kaat, waar ben je?'
Hij vraagt het aan zijn moeder:
'Mam, heb jij Kaat gezien?'
Niemand heeft Kaat gezien.

Mark huilt.
Hij is bang dat Kaat weg is.
Echt weg is.
Voor altijd weg is.

Papa en mama zoeken met Mark mee.
Ze zoeken op straat, ze kijken in de bomen.
Ze roepen Kaat.
En ze vragen aan mensen op straat:
'Hebt u onze kat Kaat gezien?'

Maar kat Kaat is weg en blijft weg.
Als Mark naar bed gaat, is Kaat nog niet in huis.
Die nacht slaapt Mark in bed zonder Kaat.

school

zoeken

tuin

roepen

worst

Zoeken en roepen

De volgende dag gaat Mark naar school.
Op school kan Mark niet werken.
Hij denkt de hele tijd aan Kaat.
Hij vertelt juf van zijn poes.
Juf troost Mark en zegt dat Kaat vast weer komt.
'Zoek de kat maar met worst,' zegt ze.
'Dan komt Kaat wel.'

Na school rent Mark naar huis.
Hij hoopt dat Kaat er is.
'Mam, mam, is Kaat er al?'
Kaat is er nog niet.
De bel gaat.
Het is Roos.
Roos heeft worst voor Kaat.
Zij vraagt of Kaat er al is.
Samen gaan ze op zoek.
Ze nemen de worst mee en zoeken in de buurt.
'Kaat, Kaat, hier is worst voor jou.
Kom Kaat, kom bij mij,' roepen ze.
Ze lopen door de straat.
Ze lopen naar het plein.
Ze gaan zelfs in de tuin van de buurman.
Kaat komt niet.

Dromen van Kaat

Die nacht gaat Mark weer naar bed zonder Kaat.
Hij draait en draait.
Mark kan niet slapen.
Hij roept:
'Waar is Kaat nou toch?'
Mam troost Mark.
En pap troost Mark.
'Wij gaan Kaat zoeken,' zegt pap.
'Ga jij maar lekker slapen.'

Mark kan niet slapen.
'Droom maar van Kaat,' zegt mam.
'Het komt wel weer goed.
Straks komt ze vast weer thuis.'
Dan gaat Mark slapen.

Hij droomt van Kaat.
In zijn droom geeft hij Kaat een bakje water.
In zijn droom speelt Mark met Kaat.
Hij gooit een bol wol en Kaat gaat er achter aan.

kast

trots

wijzen

klein
lief

doos

16

'Mark, kom snel!'

De droom van Mark was fijn.

Maar Kaat is er nog niet.
Kaat is nog niet op het bed van Mark.
Dan roept mam:
'Mark, kom eens snel!'
Mark springt uit zijn bed en gaat naar mam.
'St, stil doen,' zegt mam.
'Loop maar heel zacht en kijk eens in de doos.'

Ze wijst naar de kast.
'Kijk eens in de kast, Mark.
Kijk eens in de doos.'
Mark kijkt.

Daar is Kaat!
Wat is Mark blij!
Daar is Kaat weer.

Wat ziet Mark nu?
Er beweegt wat in de doos.
Er beweegt veel in de doos.
Kaat kijkt naar Mark.
Kaat is trots.
Naast Kaat slaapt een jong
en nog een jong
en nog een jong.
Wat zijn ze klein!
En wat zijn ze lief!

'Kaat was niet weg.
Kaat zocht een plek met rust.
In de kast is het stil,' zegt mam.
'Daar kon Kaat gaan liggen.
Daar kon ze haar jonkies krijgen.'

Dus daar was Kaat!
Ze kreeg daar een jong.
En nog een jong.
En nog een jong.
Wat zijn ze lief!

Kat Kaat is weg
Joke de Jonge en Juliette de Wit

Altijd maar draaien
Bies van Ede en Mark Baars

Bij papaboot
Elisabeth Marain en John Rabou

sterretjes bij kern 12 van Veilig leren lezen

na 34 weken leesonderwijs

1. Kat Kaat is weg
Joke de Jonge en Juliette de Wit

2. Altijd maar draaien
Bies van Ede en Mark Baars

3. Bij papaboot
Elisabeth Marain en John Rabou